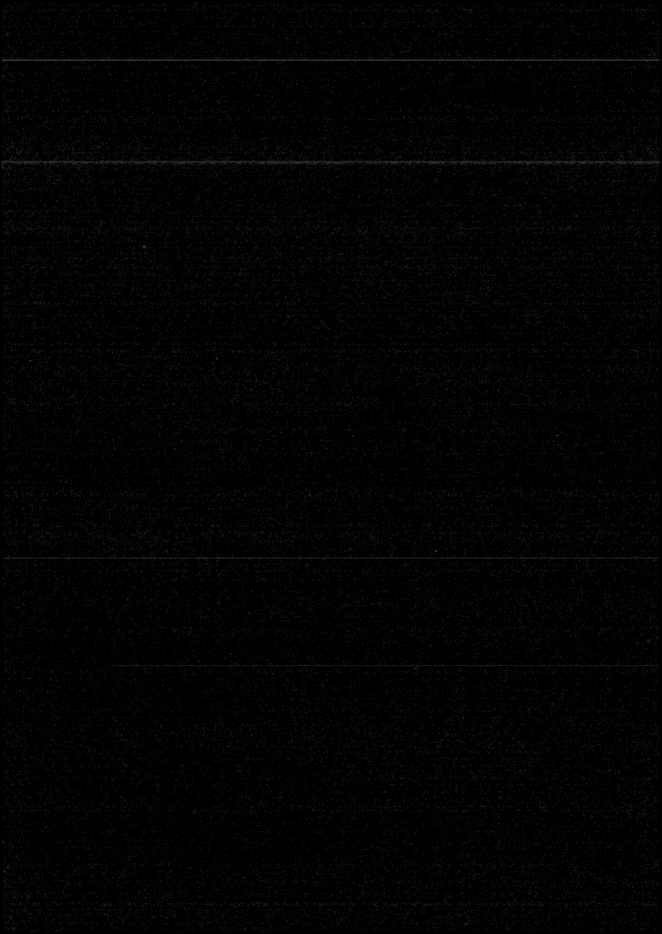

小竹信節

奴婢訓

Directions
to Servants
at Musashino
Art University
2019

Nobutaka
Kotake

武蔵野美術大学公演 2019

武蔵野美術大学出版局

目次

ムサビで奴婢訓をつくる

二〇一九年七月一日、仕込み八日目、明日は『奴婢訓』ムサビ公演の初日です。朝、僕の前を走っていた武蔵野美術大学行き西武バスの「寺71」という表記が、「寺山修司71番路線」に見えてきた。

初日前に行う本番通りの最終リハーサルであるゲネプロを観ていたら、終盤に近づいてだんだんと舞台がボヤけ始め、何もかも見えなくなってしまって、スモークが濃過ぎるんじゃないのか? と思っていたら、自分の涙のせいでした。こんなことはあまりないから、誰にも見られたくなくて客電がついてすぐにトイレに駆け込んで、そしたら先に今回の演出を担っていたシーザーさんが用を足していて、僕は思わず後ろから彼の腕をぎゅーっと掴んでしまい、寺山時代から舞台を共にしてきた長年の友は、頷くだけで何も言いませんでしたが、僕は精一杯の感謝の気持ちと共に、お互いにやっとここまで漕ぎ着けることができた安堵のやりとりだった気がします。

僕はずっと自分の退任展を、机にのせた舞台模型や映像などを展示するのでは、これまで行ってきた授業の終止符は打てないと思っていたのと、舞台美術を主要な分野として扱ってきた伝統ある美術大学としての誇りと、学生たちに本物の舞台の姿を直にこの学内で手渡したいとずっと願ってきたから、二年ほど前だったか、世界中に衝撃を与えてきた舞台であり、寺山修司と共に僕にとっても「天井桟敷」の代表作である『奴婢訓』を無謀にもムサビで上演できないだろうかと、寺山の舞台を引き継いだ「演劇実験室◉万有引力」の主宰者で、演出家でもあり音楽家のシーザーさんや主要メンバーの皆に尋ねてみたところ「ムサビでやるなんて面白そうだし、退任記念ならなおのことやるしかないな!」と言ってくれたのです。ところが二〇一九年二月末に、僕の身体に深刻な病気が見つかりました。その長期にわたる治療を考えたとき、日に日に弱っていった自分を見ながら、どう考えても上演を諦めるしかないと思い、日ごろ劇団の運営などを取り仕切りながら、本当はサイモン・マクバーニーなど世界的に著名な演出家から常にオファーを受けるような名優の髙田恵篤さんにそのことを打ち明けたとき、「何言ってるんだよ! 博士《ハカセ》(寺山が当時つけた僕のあだ名)の退任記念なんだし、やるに決まってるよ!」と当たり前のように言ってくれて、そのとき、すっかり弱気になっていた僕の中に、精一杯闘ってやろうという気持ちが溢れてきて、僕はその言葉に救われたのです。

かつて寺山は『奴婢訓』について「私がこの演劇で描きたいことは、主人の不在、という言葉で表される今日の世界の状況である」と述べ、台本には「主人のいない奴婢は不幸だ。しかし、奴婢が主人を必要とすることはもっと不幸なのだ」とも書かれてあり、あれから四十年以上を経過しながら、未だに世界の現状と重なり合うことからも、この上演はたった今を生きる学生たちにとって意義のあるものと思っています。

一九七八年一月アムステルダムのミクリ劇場での『奴婢訓』の初演、そして三月末までのほぼ一箇月にわ

たるオランダとベルギーの十九都市での巡回公演、アムステルダムの公演中に決まった四月からの二週間にわたるロンドン公演の初日を終えた翌朝の『ザ・タイムズ』紙の、何と一面に載った劇評では「イェジー・グロトフスキの発見以来の、最も見事な外国劇団との出会いであり、衣裳や効果、精密に作られた機械が、ジュネの幻想の家を凌ぐ豊富さで次々に主人の役を演じる召使いたちを助けて、夢の世界を繰りひろげている」と称賛されました。それまで何本かの天井桟敷での僕の舞台美術、とりわけ「不思議機械」と名づけられた機械たちの中でも、『奴婢訓』を中心にしたビジュアル本として平凡社から出版された『寺山修司の仮面画報』で、寺山自身が「私の仕事の視覚的な集大成」と語ったように、この舞台が僕の機械を駆使した舞台表現の代表作となっていき、のちにスパイラルホール（株式会社ワコールアートセンター）芸術監督に就任し、機械やモノたちが俳優に取って代わる機械のみによる演劇を試みた際に、演劇評論家の扇田昭彦氏は「人間とオブジェが等価に置かれるパパ・タラフマラの舞台、巨大なメカニズムと共存する人間を描くダムタイプのパフォーマンス。そして人間のいない小竹信節の『機械の演劇』。こうした現代日本の脱領域型のパフォーマンスに明らかに見られるのは、人間からモノへ、あるいは人間から世界への視点の移動であり、あまりにも人間を非等身大の大きさで描きすぎる演劇やダンスに対する強烈な批判が込められている」と語ってくれました。

　そして、いよいよ七月二日『奴婢訓』ムサビ公演の初日。ゲネプロであれほど調整に手こずっていた幕開きの機械は、いつになく完璧な作動をしてくれて、大勢の方々のあたたかな想いが一杯に詰まった「宝箱」のようなこの舞台が幕を開け、学生たちに一番手渡したかったことのすべてがここにありました。

　いつしか幻のように過ぎ去っていく確実にあったはずの夢は、知らん顔して戻ってしまういつもの日常の中に消え去っていくのだろうけど、この日、夢が勝つために手渡したいものがたくさんあったから、夢が勝つために皆が精一杯闘ってこの舞台がムサビで行われたはじめての舞台になったことをとても誇りに思います。

　ここに至る上演のために環境を整えてくださった菊池直記さんはじめ、美しい映像を残してくださった黒澤誠人さん、大田晃さん、関わっていただいたすべての大学関係者の皆さん、諦めかけていた僕の背中を終始あと押しして、この公演を実現してくださったJ・A・シーザーさんはじめ演劇実験室◉万有引力の皆さんと、大変な仕込みを強いることになってしまった舞台監督の小笠原幹夫さん、照明の正村さなみさんと山崎佳代さん、音響の尾崎弘征さん。そして来ていただいたすべての観客の皆さんと、何かと日々手助けしてくれた小竹ゼミ生たち、そして我儘な希望を叶えてくださった出版局の木村公子さんと、その実現のためにあたたかくつき添っていただいた掛井育さんに、心からの感謝を申し上げます。

……「あなたたちは、本当に凄かったです！」

小竹信節

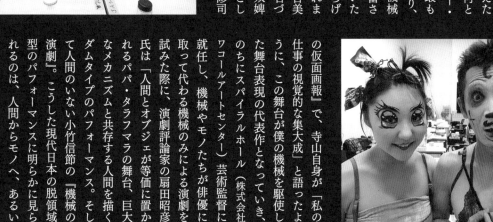

初演 MICKERY THEATER

一九七七年初頭、オランダ・アムステルダムのミクリ劇場から寺山に宛てて一通の驚くべき提案のファックスが舞い込んできました。ちょうど徹夜の作業で劇団事務所にいた僕が目にした内容は、観客二十名ずつを三台のボックスに収容し、空気圧によって僅かに浮遊させながら自在に動かすことができる装置を開発したので、それに見合う舞台を考えてほしいという依頼書でした。つまりホバークラフトによる浮遊装置で、一辺が三メートルほどの立方体の底面の四隅に設置されたノズルに送り込まれる高圧空気で僅かに浮かび上がらせながら、舞台が転換するのではなく観客が居ながらにして装置の中を移動するのです。

どうしても実現してほしい心が躍る提案でしたが、寺山は後日この舞台のために何と『ガリバー旅行記』を書いたジョナサン・スウィフトの、幸運なことにすでに僕が学生時代とても面白がって読んでいた『奴婢訓』を選んだのです。

このボックスの移動において厄介な問題は、劇場の外に設置した強力なコンプレッサーからの接続されたチューブを劇場の天井からそれぞれに配置し、電源ケーブルと共に三本のチューブがボックスの動きによって絡みつかないように、移動の配列を組み立てることでした。この配列の順番を決めるシミュレーションを繰り返し試すため木製の配列用模型を作り、その後、現在に至るまで寺山と共に、僕にとってももっとも刺激に満ちた作品となっていったのです。

上の写真は取っ手つきの模型で、翌一九七八年一月、僕はこの模型を抱えてアムステルダムに向かったのでした。公演終了後に模型を寄贈してきたのですが、四年ほど前のミクリ劇場閉鎖に伴い、青森県三沢市にある「寺山修司記念館」に返還されました。僕は四十年ぶりに、当時無我夢中で作った模型と再会したのです。

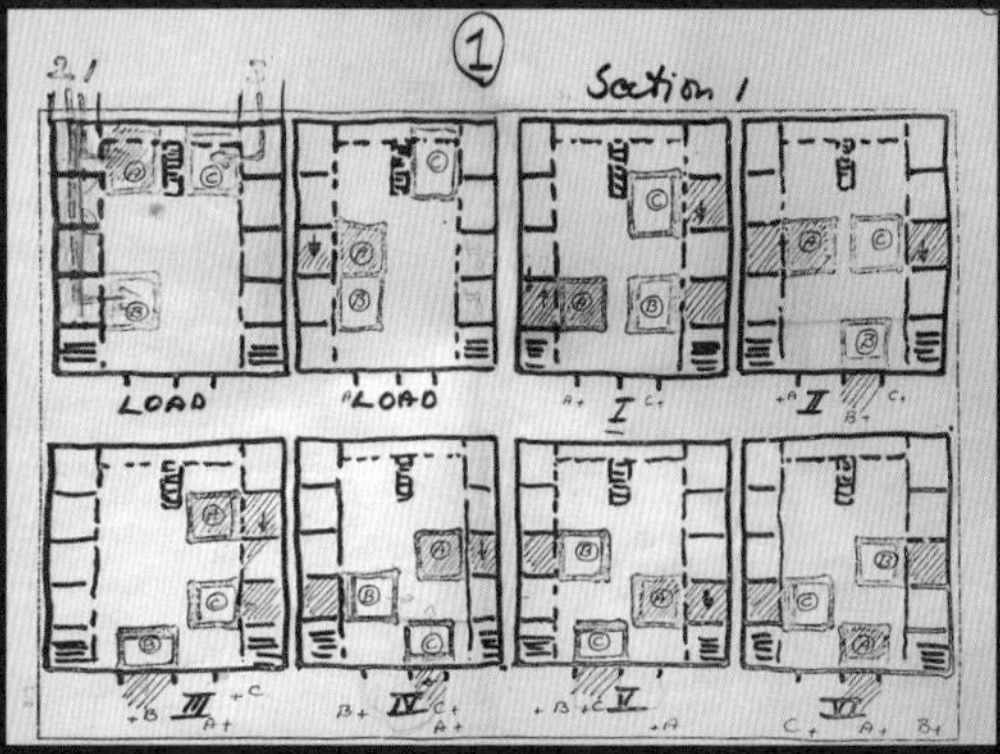

武蔵野美術大学 美術館 2019

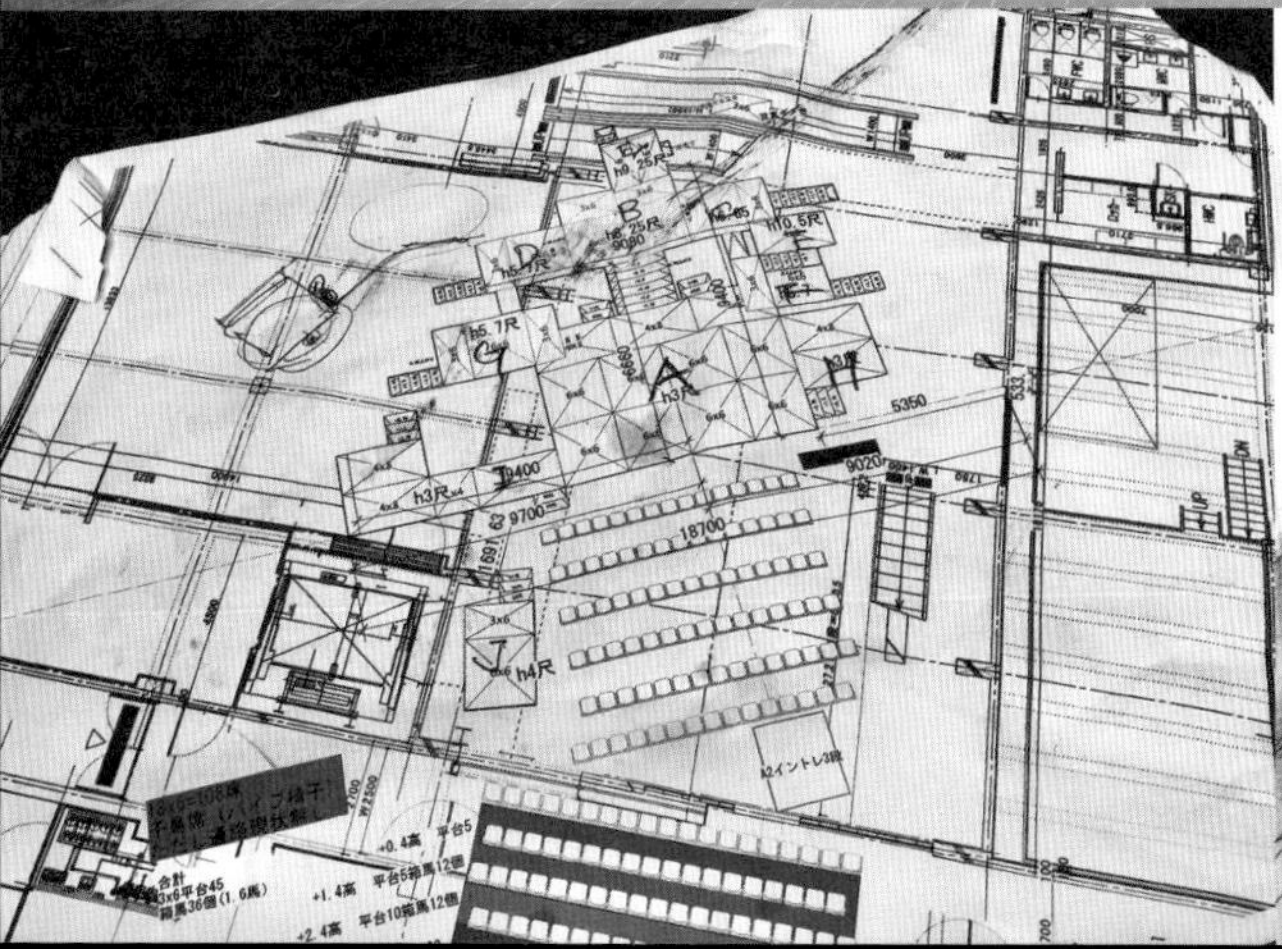

装置

聖主人のための機械

装置｜聖主人のための機械

01. 遺産相続人を名乗る男／ゴーシュ｜高田恵篤｜TAKATA Keitoku
02. 女中頭／かま猫｜伊野尾理枝｜INOO Rie
03. 門番／ポラーノ｜小林桂太｜KOBAYASHI Keita
04. 釜炊き女／よだか｜木下瑞穂｜KINOSHITA Mizuho
06. 召使い頭／カンパネルラ｜今村博｜IMAMURA Hiroshi

自動人形｜静止した肉体

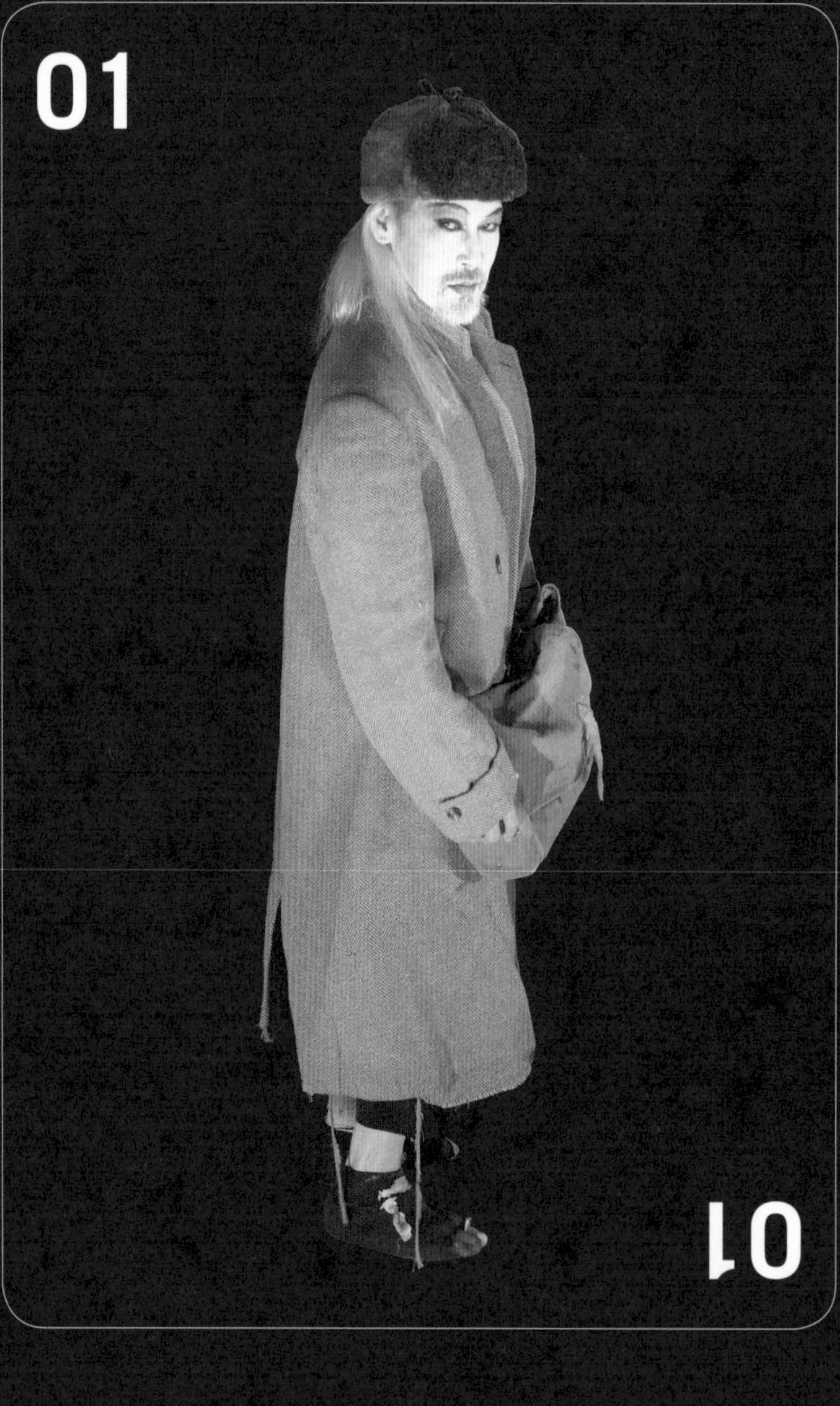

03
03

02
02

06
06

04
04

05
05

07. 召使い頭／カンパネルラ｜今村博｜IMAMURA Hiroshi
08. 園丁／シグナル｜太刀川亮｜TACHIKAWA Ryoh
09. 乳搾り女／トメナ｜山田桜子｜YAMADA Sakurako
10. 鼠男／ダネリ｜三好華武人｜MIYOSHI Kabuto
11. 庭師／ザウェル｜三俣遥河｜MITUMATA Haruka
12. 執事／クーボー｜岡庭秀之｜OKANIWA Hideyuki

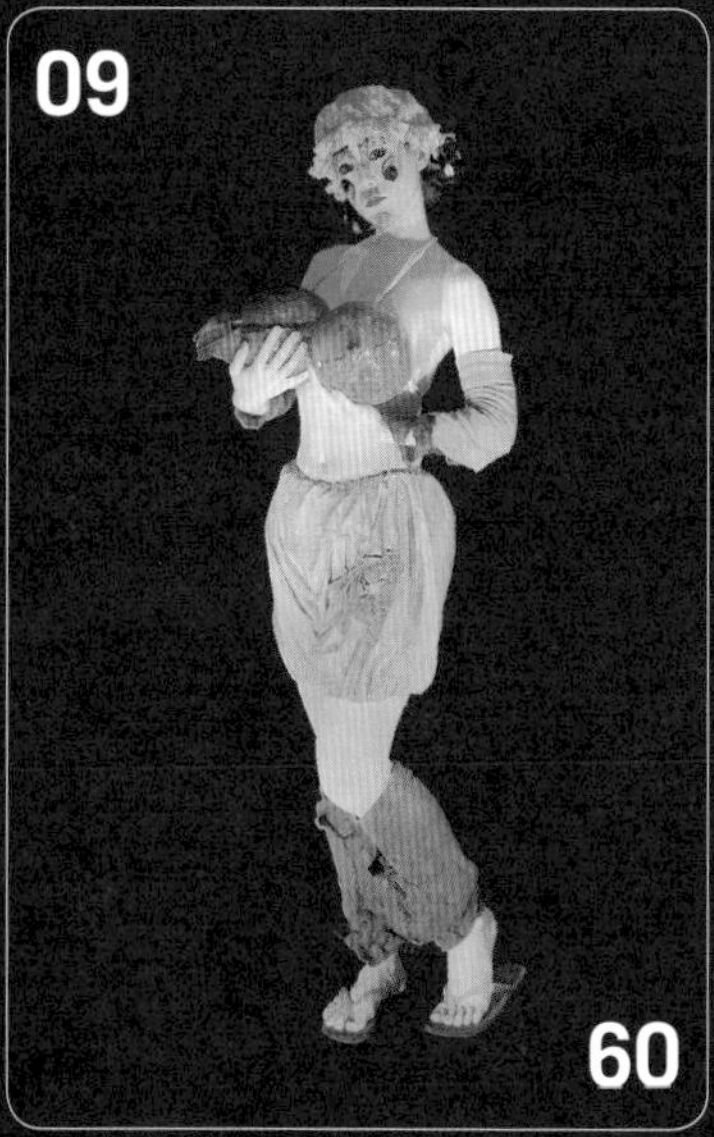

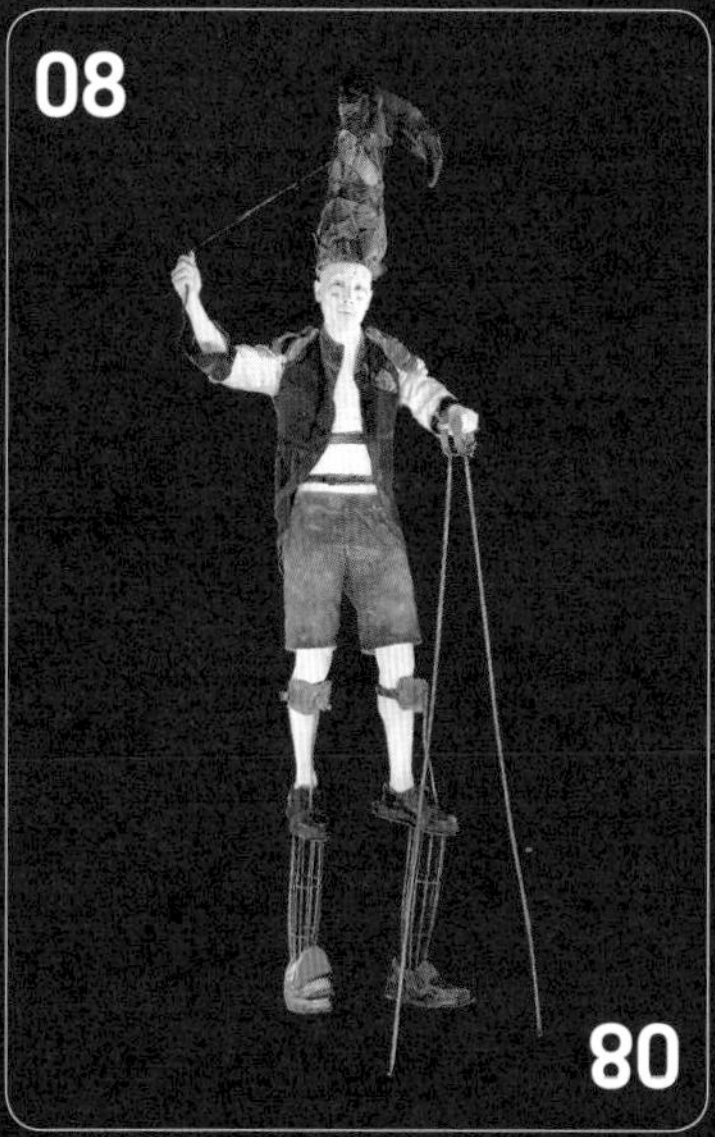

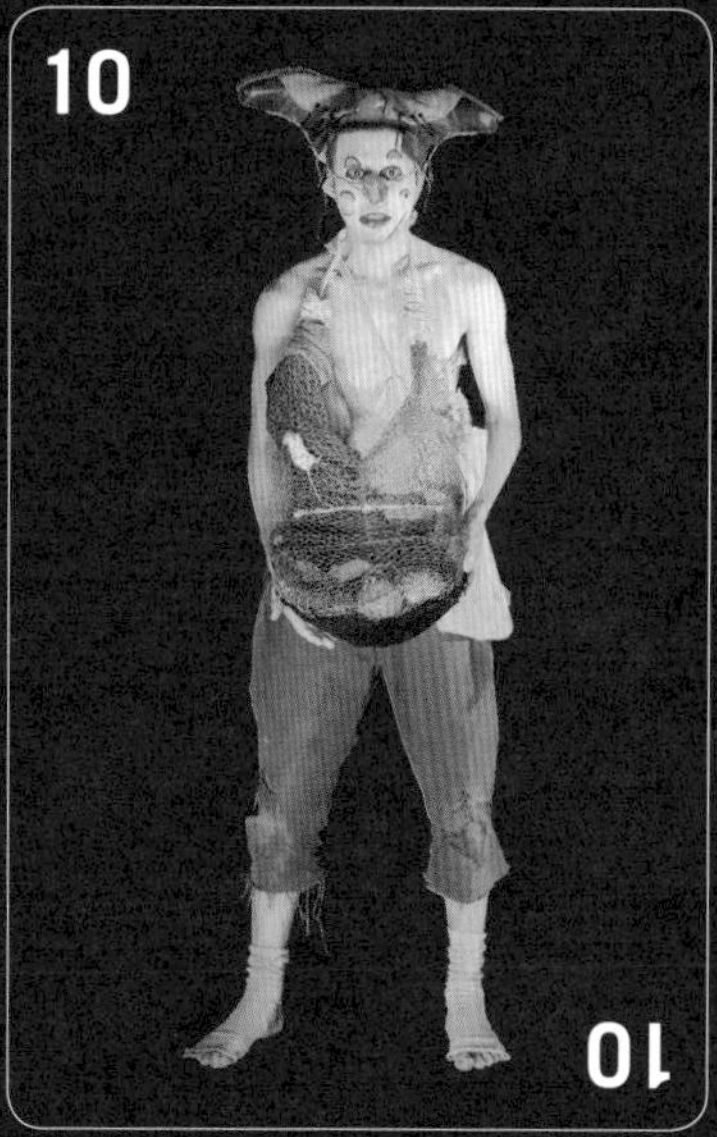

13. 馬丁／オッペル｜曽田明宏｜SODA Akihiro
14. 洗濯女／ナドリ｜杉村誠子｜SUGIMURA Seiko
15. 給仕／シグナレス｜唐沢宏史｜KARASAWA Hiroshi
16. 別当／ホモイ｜加藤一馬｜KATO Kazuma
17. 料理人／ビタミン｜飛田大輔｜TOBITA Daisuke
18. 子守／ネリ｜伊藤彩香｜ITOH Ayaka

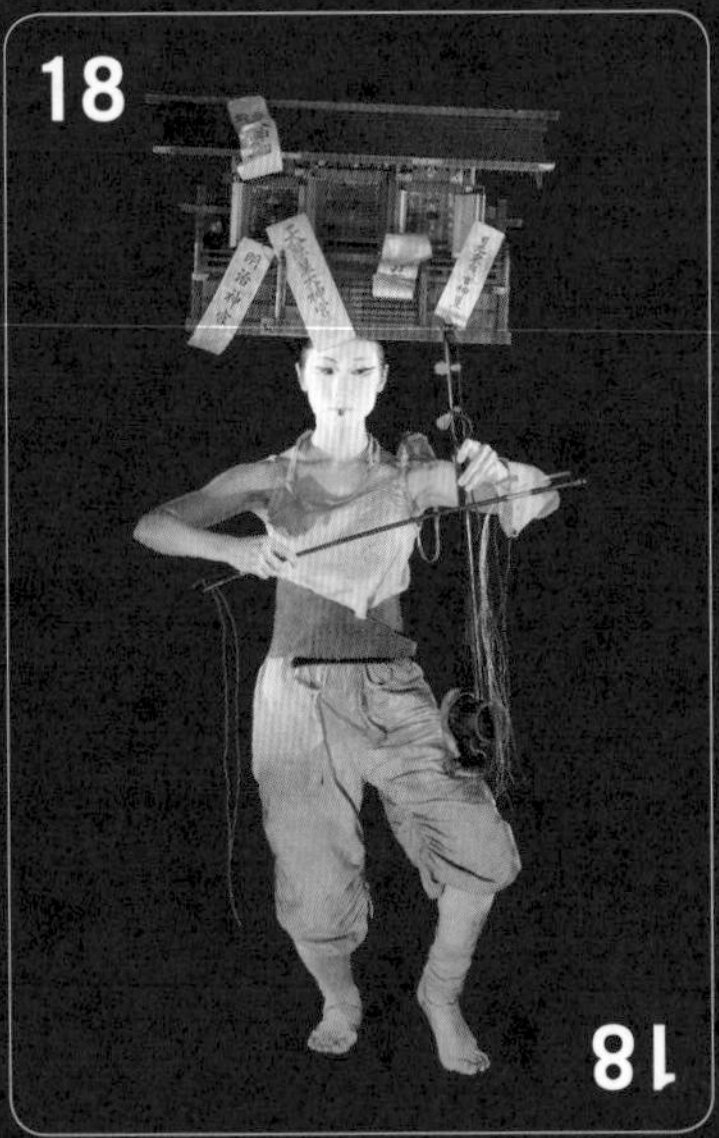

19. 小間使い／ゼルブ｜織上真衣｜ORIGAMI Mai
20. 女中／コリア｜金城美帆｜KINJYOH Miho
21. 家畜番／ペムペム｜宮嶋野々花｜MIYAJIMA Nonoka
22. 下足番／ケシゴム｜山田六大陸｜YAMADA Rokutairiku
23. 馭者／キンバエ｜三木翔矢｜MIKI Syohya
24. 従僕／ジョバンニ｜邱筠筑｜CHIU Yunchu

25

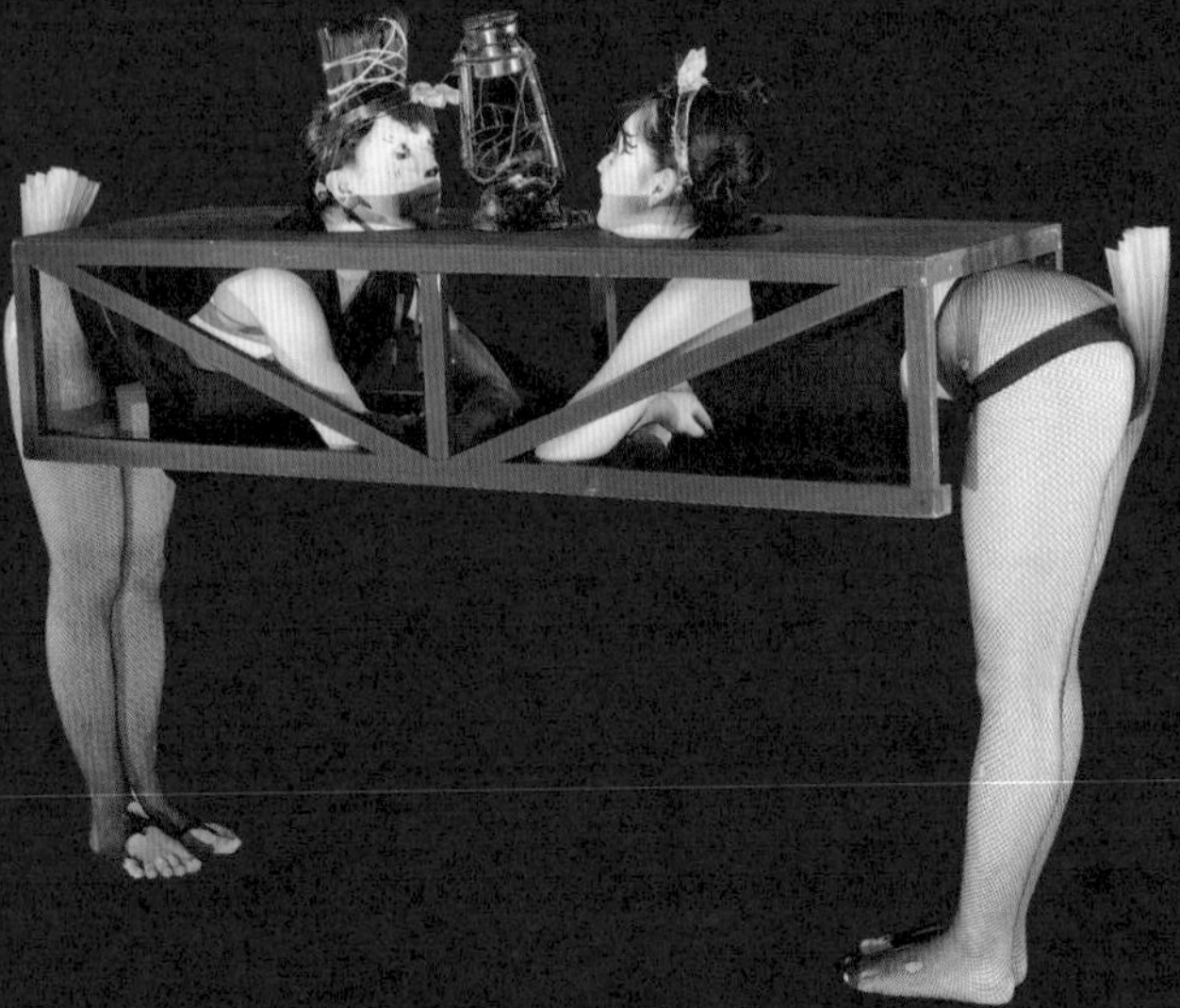

25

奴婢訓

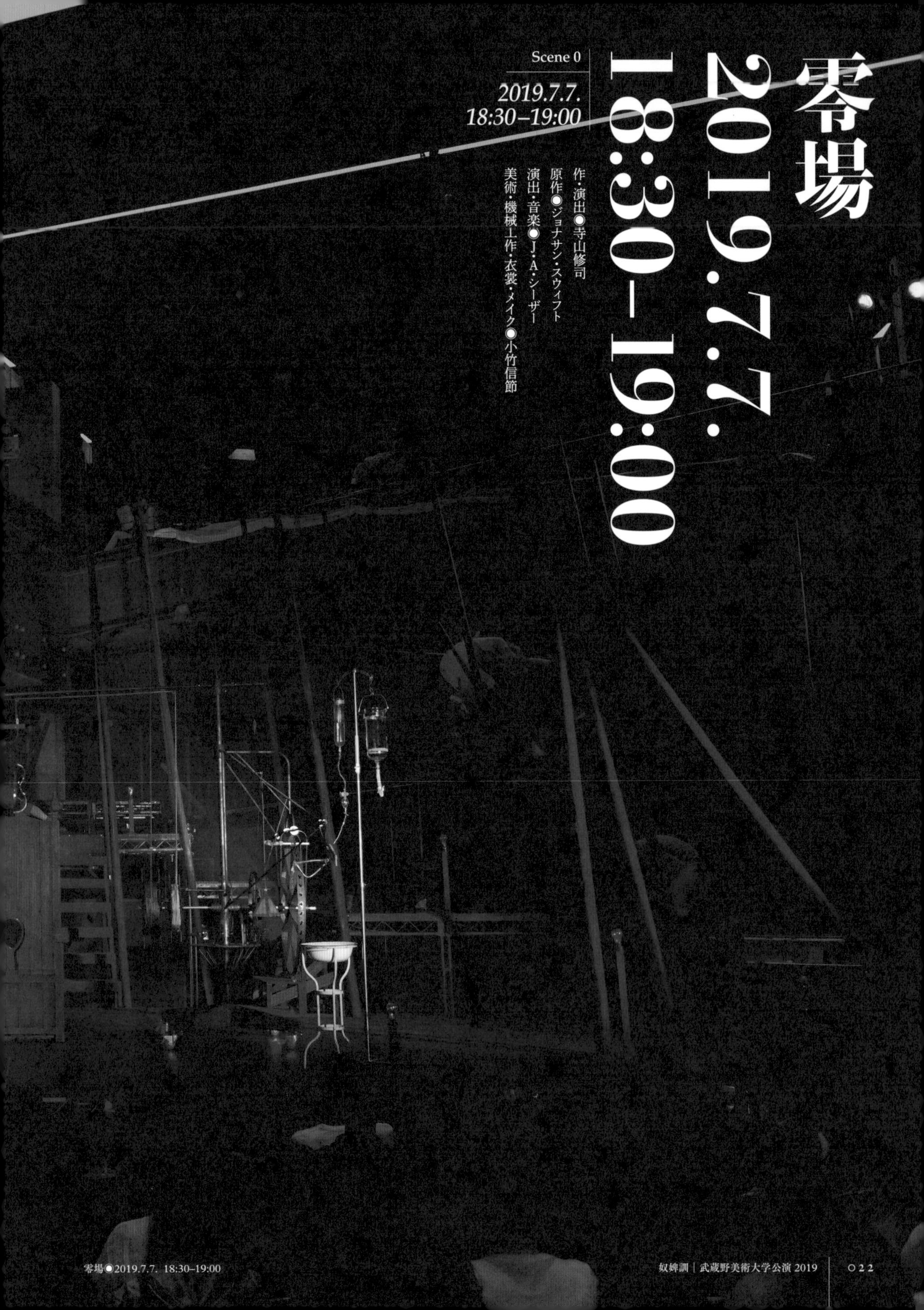

零場
2019.7.7.
18:30–19:00

Scene 0

2019.7.7.
18:30–19:00

作・演出◉寺山修司
原作◉ジョナサン・スウィフト
演出・音楽◉J・A・シーザー
美術・機械工作・衣裳・メイク◉小竹信節

Scene 1

THE HOLY MASTER

第一場 聖主人

大正十三年、東北の荒野の果て、イーハトブ農場、グスコーブドリの死の家。

誰でもない男が、中央の椅子に座っている。全身剃髪した全裸の男は無表情で、正面を向いたままだ。「聖主人のための機械」から鉄の錘の作用でゆっくりと鬘が降りてきて男の卵頭に被せる。鬘が頭についた頃、二つ目の錘の働きで機械全体が九十度回転し、今度は髭がつけらられる。機械には油の入った点滴の瓶や、ブラシがぶら下がっているが、これらは「主人」の髭を整えるための装置だ。奴婢の一人が服を着せると「主人」ができあがる。

主人が椅子から立ち上がると戴冠曲が響き渡る。主人はまだ靴を履いていないことに気づいて奴婢を呼ぶ。

「靴を!」

奴婢たちが靴を手になだれ込んで椅子に座る主人を引き摺り下ろす。

「ふてえ野郎だ。下男のくせに」

暗闇の中から女主人ダリアの声が響き、けたたましい哄笑と共に乳搾り機にかけられた女が空中に浮かび上がる。女は自分の乳を搾るためにペダルを漕ぐ。イーハトブ農場には夜の帳が降りたばかりである。

第二場 月蝕譚

Scene 2
ECLIPSE

月蝕の夜、遺産相続人を名乗る男（ゴーシュ）が「主人」の靴を持ってイーハトブ農場を訪ねてくる。馬丁のオッペルは、うたた寝している女中頭のかま猫を小突き起こす。ゴーシュは靴を持ち、靴にぴったりの足を持つ「主人」を探しているが、オッペルとかま猫はゴーシュから靴を奪う。

第三場 犬の戴冠

Scene 3

THE DOG'S CORONATION

口ひげの男クーボーが現れてゆっくりと主人の椅子に向かって歩き始める。クーボーが椅子に座ると走り回っていた奴婢たちが一列に並ぶ。奴婢たちは身体が三十度傾き、空間全体が歪んだようだ。

クーボーは懐から一本の骨を取り出し投げる。一人の奴婢が犬のようになり、骨をくわえてクーボーのもとへ持ってゆく。ほかの奴婢たちも同じように犬の行為を繰り返す。やがて全員が犬になるとクーボーはは いていた「主人の靴」を投げる。奴婢たちは「主人の靴」のために嚙み合い争う。やがてクーボーも唸り声を上げて「主人の椅子」を降り、犬

となって奴婢たちの輪の中へと飛び込んでゆく。

第四場 鞭

Scene 4
WHIP

奴婢のホモイが「主人の靴」を履いてうっとりしている。それを見ていたダリアは馬丁のオッペルに命じてホモイを折檻機に拘束する。ダリアは押さえつけられた奴婢の尻を打ち、オッペルは糸巻き車のような折檻機をキリキリと絞り上げる。

「おまえは鍵穴の満月、トラホームの覗き男だ！」

「あッ、あーッ！」

「許してあげるわ、おまえは正直だから。さあ、あたしは出かけますよ」

第五場 歌う戸棚

Scene 5
SINGING CUPBOARD

真夜中の台所。食器戸棚の中に隠れていた奴婢たちが戸棚のあちこちから顔を出してはアリアを歌う。

ヴァイオリンがこわれるほど
お尻をぶってやりたいわ
色エンピツの先っちょで
七つの穴をあけたなら
ごらん七つの星が出た

第六場 酢の壜

Scene 6

THE VINEGAR BOTTLE

女主人を演じるダリアがハンガーに掛けていた毛皮のコートをとる。ハンガーは直立不動の二人の奴婢でできている。

「主人の椅子」を磨きながら様子を伺っていたかま猫とよだかにダリアは話しかける。

「ところで、かま猫。あたしが女主人でいられる時間はあとどれくらいかしら?」

「もうとっくに終わってるんだよ、ダリア。いい加減交代してくれないんで、皆困ってるんだ」

「ダリア、おまえが威張り散らす時間は終わったんだよ」

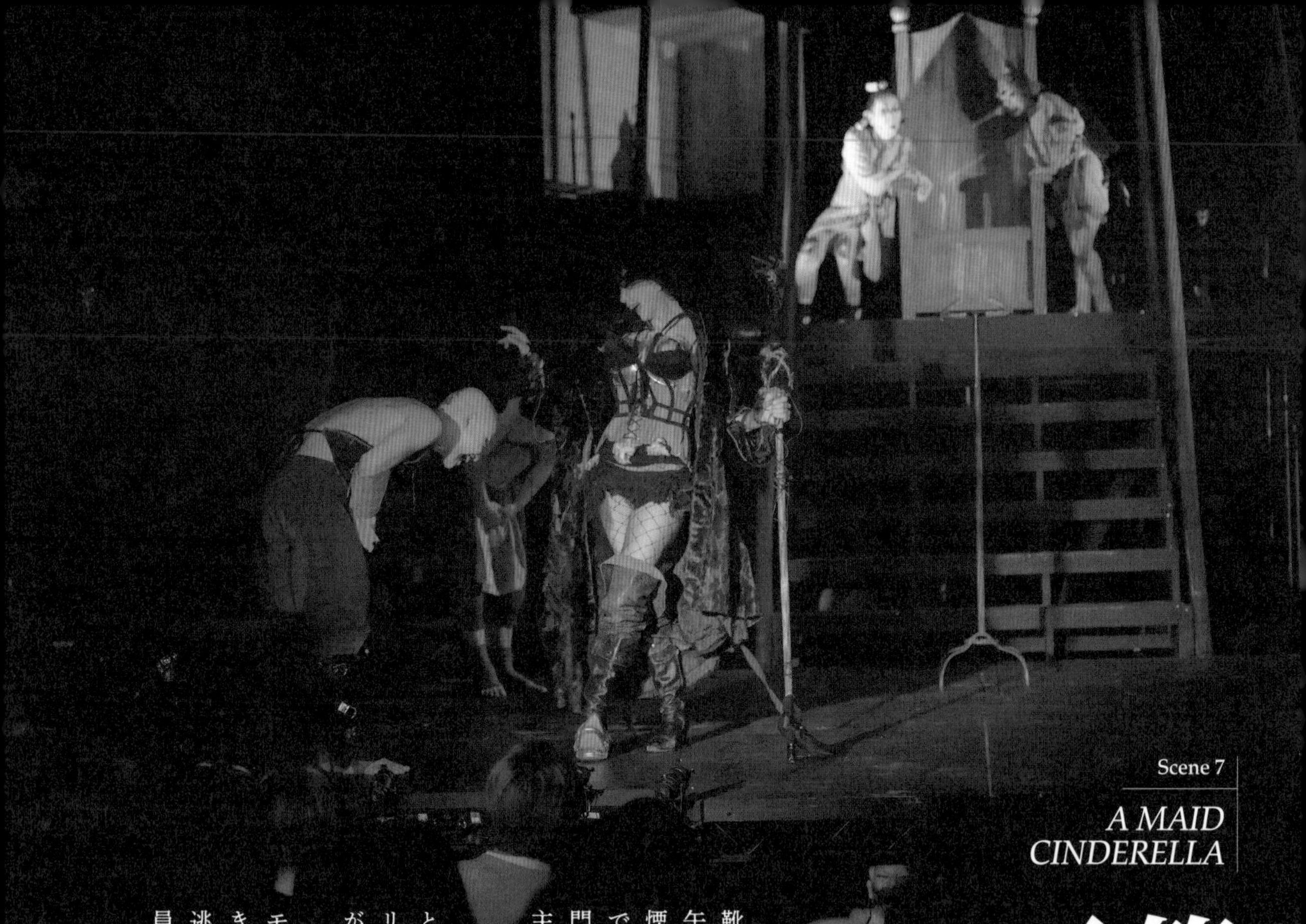

Scene 7

A MAID CINDERELLA

第七場　下女シンデレラ

靴に住んでる　女中たち
午前零時の　零時の零時の　殺！
煙という名の　御主人は青いハサミ
で追いかけて追いかけて　殺！
門番　掃除婦　料理人
主人　あたしの　馬になれ

一人の奴婢がダリアに襲いかかると奴婢全員が集まって取り囲み、ダリアが履いている「主人の靴」を脱がせる。

女主人からもとの掃除婦に戻りモップとバケツを持ったダリアは泣きながら追い立てられるようにして逃げていく。暗黒の中に奴婢たち全員の嘲笑がこだまする。

第八場 少年礼儀作法読本

Scene 8

A GUIDE TO BOYS' ETIQUETTES

教育の鐘がとどろき渡る。場内は青空になる。舞台中央には「少年礼儀作法のための機械」があり、二人の少年が水平に宙吊りにされている。「主人の椅子」に座ったカンパネルラが「少年礼儀作法読本」と宣言すると邸中の奴婢たちがあちこちに現れて一斉に動き出す。カンパネルラは次々に訓戒を繰り返す。

「この邸では、床にツバを吐いてはいけない」
「この邸では、やたらに頭をかいてはいけない」
「仕事中にダンスを踊ってはいけない」
「主人の話を盗み聞きしてはいけない」
「むやみに体の部分を露出してはいけない」

奴婢たちがいなくなると、巨大な黄金の靴を担いだポラーノが登場する。

「主人の靴は、格調高く、偉大で、しかも、こんなに堂々としていなければなりません」

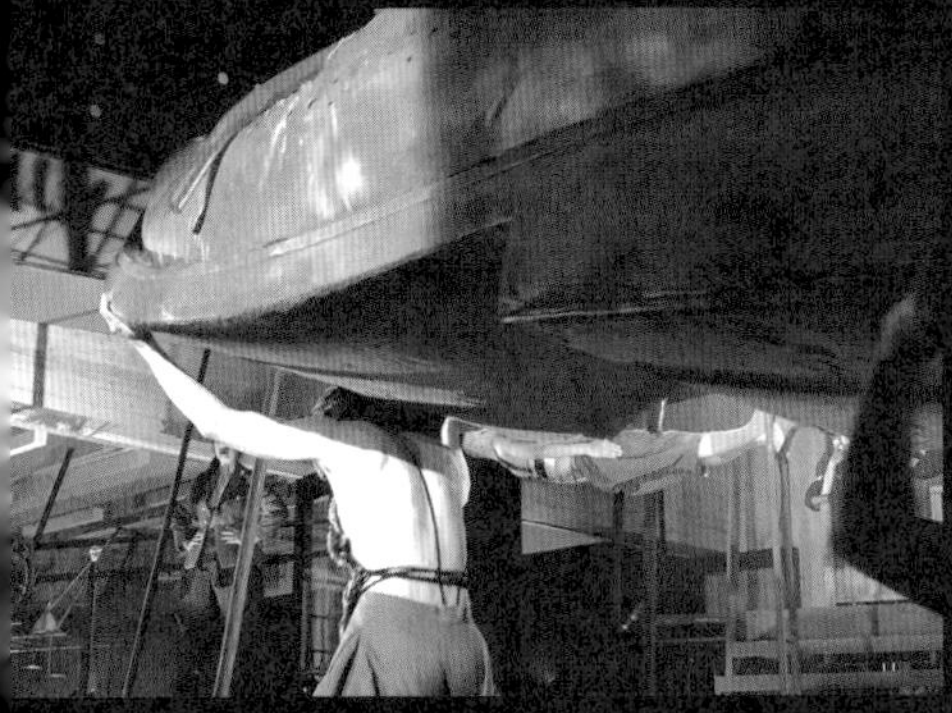

第九場 遊

Scene 9
PLAY

第十場 誰が殺した、駒鳥を

Scene 10

WHO KILLED THE JAPANESE ROBIN ?

カンテラを持った女中頭のかま猫が戸締まりを確かめてまわっている。

誰が殺した　駒鳥を
下男は金を算えてた
女中は口紅つけていた
誰が殺した　駒鳥を
子守は赤い帯買った
洗濯女は種まいた
誰が殺した　駒鳥を

「あたしが殺ったよ！」

かま猫が叫ぶと邸中の小間使いたちが現れ大合唱が始まり、背後からゴーシュが現れる。「主人の椅子」のテープレコーダーに気づくゴーシュ。テープレコーダーから声が聞こえ、自分がこの邸の「主人」であるという。

「これからおまえは、嘘をついた罰として、自分自身を折檻するんだ。いいか?」

「わたしが悪うございました、といって、目の前に垂れているヒモを引くんだ」

　折檻機がゴーシュのムキ出しの尻をビシビシと叩き、後方に控えていた小間使いたちの噂話が始まる。

「この邸じゃ」「ときどき見えない主
人が幅をきかせる」

「納屋じゃ誰かが鎌をとぐ」

「銀河鉄道の」

「堤防が決壊して」

「溺れた子供が九十九人」

「いつも静かに笑ってる」

「あらゆることに」

「自分を勘定に入れず」

「よく見聞きし」

「わかるふりし」

「実はほしがり」

「突然の」「タマゴ」

「毛深いきこりの」

「男はどこだ」

「ミルク桶からこぼれるミルク」

「そろそろわたしもお年頃」

「学生帽のよく似合う」

「宮沢賢治を杉の木に」

「縄で縛って」

「ズボンを脱がせ」

「なめとこ山の」「春の雲」

「会いたい見たい顔見たい」

「イガグリ頭の宇宙人」

「タバコ一本いかがです？」

「雨ニモマケズ」

「風ニモマケズ」

「だましくらべのお邸で」

「つぎのご主人」「だあれ？」

第十一場 包帯の川

Scene 11

THE RIVER OF BANDAGE

Scene 12

THE LAWYER AND THE LAND AGENT

第十二場 目玉ゲーム

弁護士と差配人がイーハトブ農場に現れる。弁護士と差配人は二人で二つの目玉しか持っていないので、交換しながら帳簿を調べている。

「財産目録というものは、ただの現在であってはならない。いいかね。かつて在ったものも、これから在ろうとするものも、すべて洩れなく、記載しておくことが、必要なのだ」

第十三場
主人さがし——逆転テーブル

Scene 13

LOOKING FOR THE MASTER

主人と奴婢が入れ替わる主人交代機（逆転テーブル）に二人の奴婢が座っている。そこへ風に吹き飛ばされたゴーシュがやってくる。

「おねがいです、おしえてください。このお邸の、ほんとうの主人は、いったいどこへ行ってしまったんでしょう？」

第十四場◉米喰い

Scene 14

THE RICE GOBBLERS

第十四場
米喰い

ガチャガチャと騒々しい音と共に奴婢たちが現れる。手に茶碗と箸を持ち、米をかき込んでいる。輪から外れ泣くダリアにゴーシュが話しかける。

「ここにいると、わたしにも主人の順番がまわってくるのでしょうか?」

「もしわたしにも主人の順番がまわってきたら、少しわけてあげますからね」

「いま、だれかが運んでいった、あのオマルの中味は、一体何だったんでしょう?」

「糞です。上品に言えば排泄物ですわ」

「だれのです?」

「あの方のです」

「わかった! ようやく謎がとけたぞ。姿は見せないが、どこかにかくれて見張っている人。前にも山猫軒という「注文の多い料理店」で、似たようなことがあった…その人が、このお邸のご主人。ズバリでしょう」

「いいえ、この邸の主人はあたしです」

Scene 15

AN OPERA OF A MAIDSERVANT WHO HAD THE HORSESHOE BEATEN

第十五場・馬の蹄鉄をうたれた下女のオペラ

邸中の奴婢たちが集まってきてダリアを取り囲む。全員でダリアを押さえつけ身動きできないようにしてスカートの裾をまくり上げる。

「見ろよ、こいつ！ 驚いたね。こりゃ、馬の蹄鉄だ！」

「本当だ！ お馬さんそっくり」

「あんまり主人の靴はきたがるから、」

「二度とはけないように」

「そのかわいいお足に」

「馬の蹄鉄を打ちつけてやった。皇室御出入りの鍛冶屋がつくった、ホンモノの馬の蹄鉄だ！」

「みんな！ 馬の蹄鉄を打たれた下女のダリアが、便所掃除のオペラを歌うそうだ。ほらッ！」

第十六場 最後の晩餐

Scene 16

THE LAST SUPPER

奴婢たちはそれぞれ着飾り、みな主人の靴をはき、最後の晩餐が始まる。舞台の上手には乳搾り機で自らの乳を搾る女。下手には人間テーブル。オッペルが、ときどきスープの中にツバを吐き出したり、ノケをかき落としては、すましてスープを配る。

　気絶していたゴーシュが頭を抱えて立ち上がる。

「畜生！　いつのまにやら、主人の大安売りだ。おかげで、邸の中がまっくらじゃねえか。主人が一人ふえるたびに、くらやみがひろがっていくとはよく言ったもんだ。こうなったらせめて、マッチの火あかりだけが頼り。どうせ、おれは、まぼろしの主人の役だ。少しでもあかるさを長持ちさせるために、こいつらに火をつけて焚き火でもしてやろうか！　こんなに主人が多いと、たっぷり焚き火ができるだろう。

　みんなが主人になっちまえば、こんどはたった一人の下男の不在によって、みんなの心が充たされるんだ。見ろよ、このおれさまを。おれはいつでも、たった一人の不在の証だ。さあ、気分よく燃えあがって、おれを暖ったためてくれッ！　雲のようにたよりない、カルボン酸の主人どもめが！」

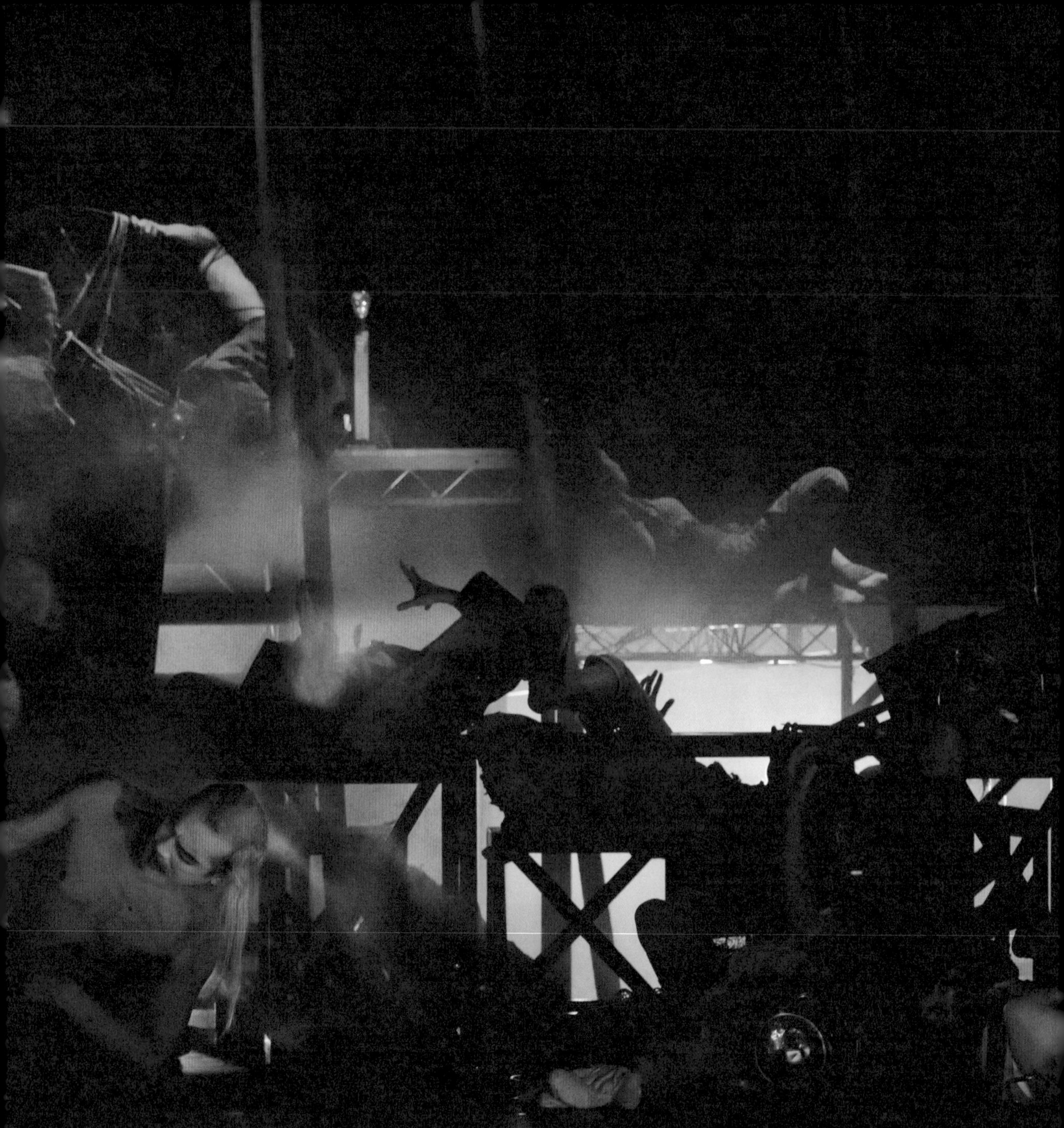

「蝋燭の煤で天井に書きつけろ！ ここが地獄だ！ ここで飛べ！」

「御主人様の寝室も、床板一枚めくりゃ、下は田んぼだ！」

「天に狼、地に下男、かまどじゃ烽火が燃えあがる！」

「とくにナイフは磨いとけ！ 主人の喉を裂くために」

「皿を割れ！ 地響きたてろ！ 春がくる！」

「コップは小便で洗うんだ、ご主人の塩の倹約のために」

「叛乱するのに思想はいらぬ、マッチ一本あればよい」

「下男穴掘りゃ鴉がさわぐ、次はおまえの死ぬ番だ！」

「夜食に肉がおのぞみなら、あたしの体でいかがです？」

「納屋の麦藁、逃亡千里。おれはじぶんの馬になる！」

「地平線にはつむじ風、女中部屋には高笑い！」

「出刃包丁で瞼を裂いて、真っ赤な鳥のとぶを見た！」

「ツバはこうして吐くものさ！ ごらん、女中の婚礼だ！」

「猫が跳ねたらランプをまもれ、おれは主人に欲情したぜ！」

「さあ、花吹雪だ！ 道だ、道をあけろ！」

第十七場 その前夜

Scene 17

THE NIGHT BEFORE

暗闇の中、目隠しされた全裸の下男を連れて立つ、幻の女主人の亡霊が浮かぶ。

「ごらん。たった一人の主人の不在が狂気を呼びさます。無の引力。世界はいくつもの中心を持つ楕円の卵。神が、決して姿を見せないのは、あまりにもみにくいその顔のせいだといいます。主人がいないのが不幸なのではなく、主人を必要とするのが不幸なのだと、蝋燭の煤で、壁に落書きをした逃亡の下男は、今も、被支配の円周を描きつづけている。

主なき記憶。政治の藁。灰。戸を開けて、帰って来る。応接間が見える。テーブルの上に、一枚の地図が拡げてある。針のように光が降る。わたしは、近づく。限りなく近づいていく。主人の死体は、既に腐っている。地図に消えている、ドバイ、ジャカルタ、ヨハネスブルク、モスクワ、アフガニスタン、パレスチナ、ピョンヤン、ペキン、ニューヨーク、リオデジャネイロ、トーキョー。

腐った死体が、お面をつけている。ゆっくりと、手をのばす。死体から、お面をひきはがす。何て美しい、わたしの死に顔」

Scene 18

SHOOT THE SOUTHERN CROSS

第十八場 南十字星を撃て！

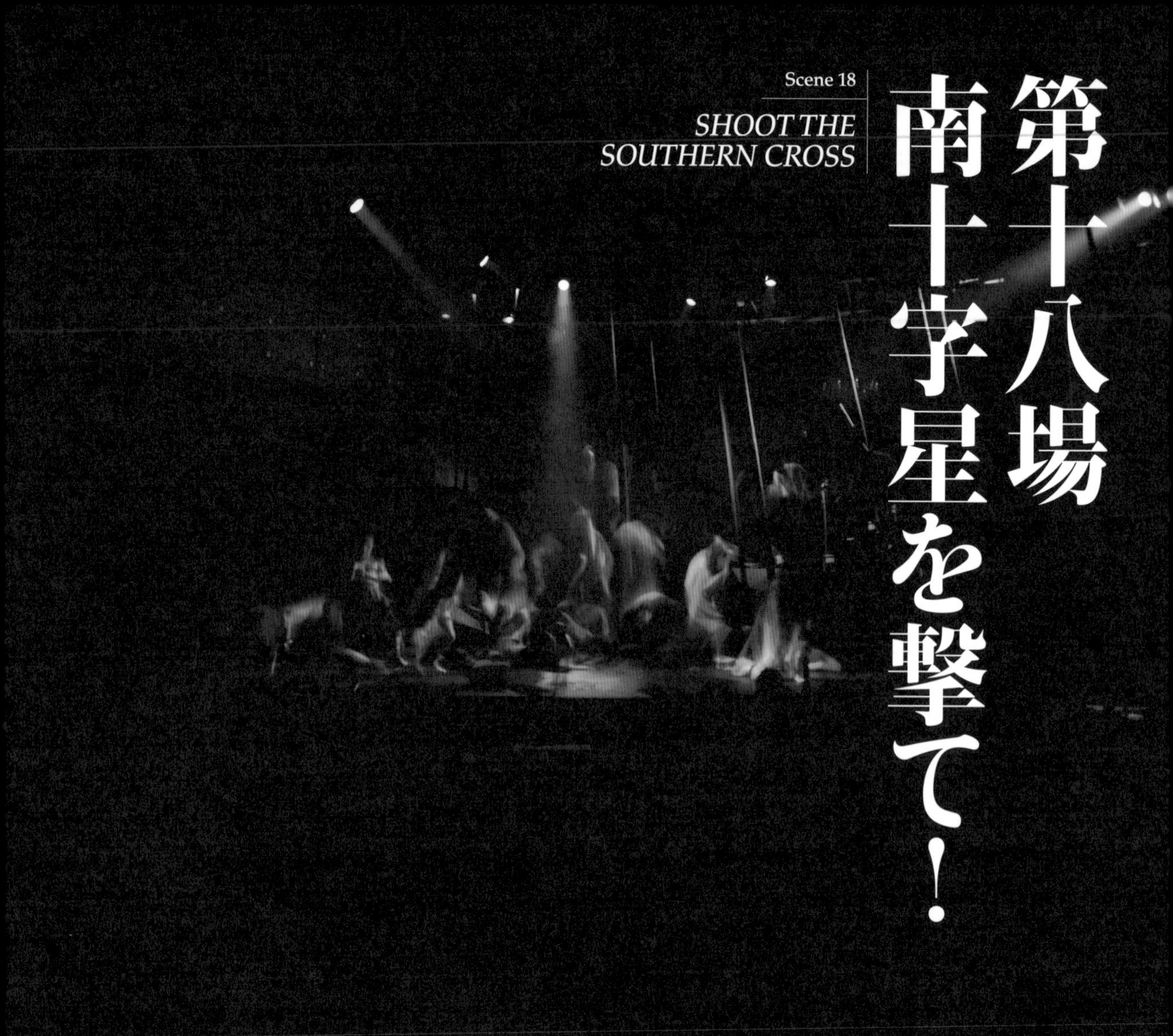

第十九場 不在

Scene 19

THE ABSENCE

世界は、たった一人の主人の不在によって充たされているのである。

奴婢訓 上演記録

演劇実験室◉天井桟敷

- 1978.1.7-9 東京国際貿易センター（ワークショップとして試演）
- 1978.1.21-2.25 Micery Theater（アムステルダム）
- 1978.2.28 Globe（アインホーヘン。3月25日までオランダ・ベルギーツアー）
- 1978.3.1 Concordia（エンスケディ）
- 1978.3.2 Oosterpoort（グローニンゲン）
- 1978.3.3 Deklinker（ヴィンショーテン）
- 1978.3.5 Casino（デンボス）
- 1978.3.6 Agnietenhof（ティエル）
- 1978.3.7 Stadsschouwburg Maastricht（マーストリヒト）
- 1978.3.8 Stadsschouwburg Sittard（シタート）
- 1978.3.10 Stadsschouwburg Arnhem（アーハム）
- 1978.3.11 Toneeischuur（ハーレム）
- 1978.3.12 De Warande（テルンハート）
- 1978.3.13 Zwarte Zaal（ゲント）
- 1978.3.14 Paleisvoor Schone Kunsten（ブラッセル）
- 1978.3.16 HOT theatre（デンハーグ）
- 1978.3.19 Stadsschouwburg Middelbrug（ミドルバーグ）
- 1978.3.20 Lantaren（ロッテルダム）
- 1978.3.21 C.C. de Hagen（アルメロ）
- 1978.3.22 Stadsschouwburg Nijmegen（ナイメーゲン）
- 1978.3.23-25 Blauwe Zaal（ユトレヒト）
- 1979.4.11-23 Riverside Studios（ロンドン）
- 1979.7.6-8, 11-13 スポレートフェルティバル／スーポ劇場（スポレート。7月26日までイタリア公演）
- 1979.7.16 アスティフェスティバル／アスティ野外劇場（アスティ）
- 1979.7.25 フィエゾレ古代野外円形劇場（フィエゾレ）
- 1979.7.26 ビアレジオ大型ドーム劇場（ビアレジオ）

・1979.11.3-5　東京国際貿易センター
・1980.5.24, 27, 6.1　スポレートフェルティバル・アメリカ／チャールストン・ゲイヤーミニスパルオーディトリアム（チャールストン）
・1980.6.18-30　カフェ・ラ・ママ劇場（ニューヨーク）
・1980.12.12-14　京都大映撮影所第二スタジオ
・1982.7.27-28　第一回利賀フェスティバル／利賀山房（富山）
・1982.10.29-31　シャイヨー宮国立劇場（パリ）

演劇実験室◉万有引力

・1989.8.4-10　世紀末フェスティバル／東京グローブ座
・1989.8.23-25　近鉄劇場（大阪）
・1990.9.22-29　Riverside Studios（ロンドン）
・1990.10.6-9　Frankfurt（フランクフルト）
・1990.10.16-18　Odense Theater（コペンハーゲン）
・1991.1.25-30　パナソニック・グローブ座
・1991.2.2　郡山市民文化センター
・1991.2.5-8　札幌市教育文化会館大ホール
・1991.2.11　青森市文化会館
・2003.12.25-28　新国立劇場 中劇場（東京）
・2004.1.10　杜のホールはしもと（神奈川）
・2004.1.17　滋賀県立芸術劇場 びわ湖ホール 中ホール
・2005.5.12-18　シアター1010（東京）
・2012.2.12-19　シアター・トラム（東京）
・2015.7.11　寺山修司演劇祭オープニング「奴婢一般に関する総則」／星野リゾート青森屋 天平閣
・2015.7.12　青森公立大学交流会館 交流ホール
・2015.11.12-13　日伯修好120周年記念事業ブラジル公演／ユバ農場 テアトロ・ユバ（サンパウロ）
・2015.11.21-22　SESC Santos Theater（サントス）
・2015.11.28-29　SESC Pinheiros（サンパウロ）
・2016.2.2-14　日伯修好120周年記念事業凱旋公演／座・高円寺（東京）
・2019.7.2-7　武蔵野美術大学美術館（東京）
・2019.10.4-5　Gdansk（グダニスク）
・2019.10.11-12　Wroclaw（ヴロツワフ）
・2019.12.13 -14　Hong Kong Cultural Centre（香港）

協力

演劇実験室◉万有引力
テラヤマワールド
武蔵野美術大学空間演出デザイン学科研究室
武蔵野美術大学 美術館・図書館

記録映像：大田晃、黒澤誠人、菊池直記
カバー（表1）、ディスクラベル撮影：稲口俊太

舞台撮影：小竹信節（pp.4-8, 12）、三本松淳

本文デザイン：寺井恵司

本書は二〇一九年度武蔵野美術大学出版助成を受けて刊行された。

小竹信節（こたけ・のぶたか）

一九五〇年東京生まれ。

一九七五年から八三年まで演劇実験室◉天井桟敷の美術監督として「奴婢訓」「ノック」「阿呆船」「レミング」「百年の孤独」など、後期寺山修司全作品の舞台美術、衣裳デザイン及び映画美術を担当。その後、ロベール・ルパージュ、ペーター・ストルマーレ（スウェーデン王立劇場）らのシェイクスピア劇、白井晃の新国立劇場「テンペスト」やKAAT「夢の劇」、蜷川幸雄の「身毒丸」、マイケル・ナイマンのオペラ、沢田研二や松田聖子などのコンサート・ツアーなど数多くの舞台美術を手がける。

一九九一年度スパイラルホール（株式会社ワコールアートセンター）の芸術監督に就任し、「新機械劇場」「ムュンヒハウゼン男爵の大冒険 The Surprising Adventures of Baron Munchausen」など、人間のいない装置のみによる演劇を試みる。造形作家として、パリ・ポンピドゥー・センターやアヴィニョン・フェスティバルにおけるジャン・ティンゲリーらが参加の自動機械をテーマとした「感傷の機械展 Les Machines Sentimentales」やフランス・ランス、ギリシャ・テサロニクでの「オートマタとロボット展 Automates et Robot」などにアジアから唯一の招待出品。

平成七年度文化庁芸術家在外派遣研修員として英国王立シェイクスピア劇団Royal Shakespeare Companyにおいて一年間研修のためロンドン在住。ニューヨークADC賞銀賞、テレビCMでACC地域賞、日本ディスプレイ・デザイン年賞優秀賞、読売新聞演劇大賞優秀スタッフ賞など受賞。ほかに、松屋銀座「机の上の空想玩具展」や佐賀町エキジビット・スペース「倫敦絵日記」などの個展がある。

一九九七年武蔵野美術大学造形学部空間演出デザイン学科教授に着任。二〇二〇年三月退任。

奴婢訓

武蔵野美術大学公演2019

二〇二〇年三月三十一日 初版第一刷発行

著者 小竹信節

発行者 天坊昭彦

発行所 株式会社武蔵野美術大学出版局
〒一八〇-八五六六
東京都武蔵野市吉祥寺東町三-三-七
電話 〇四二二-二三-〇八一〇（営業）
〇四二二-二二-八五八〇（編集）

印刷・製本 図書印刷株式会社

定価はカバーに表記してあります。

乱丁・落丁本はお取替えいたします

ISBN 978-4-86463-111-2 C0074 Printed in Japan